Y0-AFU-971

I Am . . .

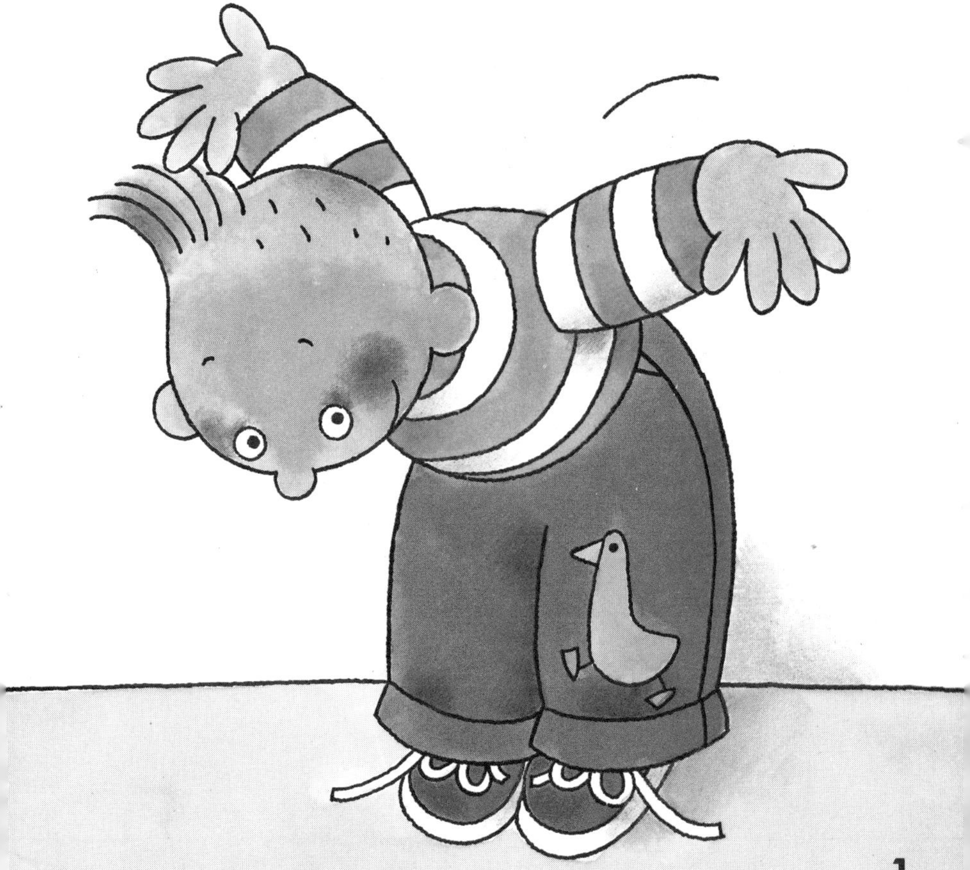

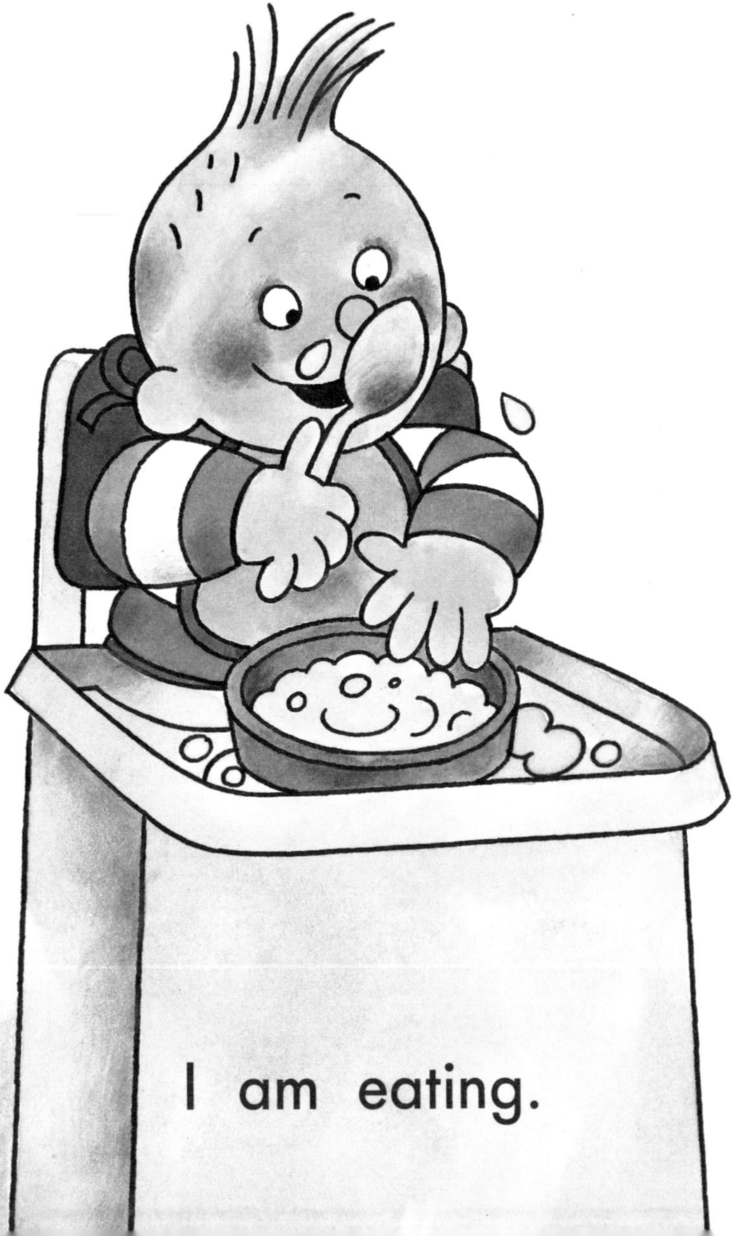

I am eating.

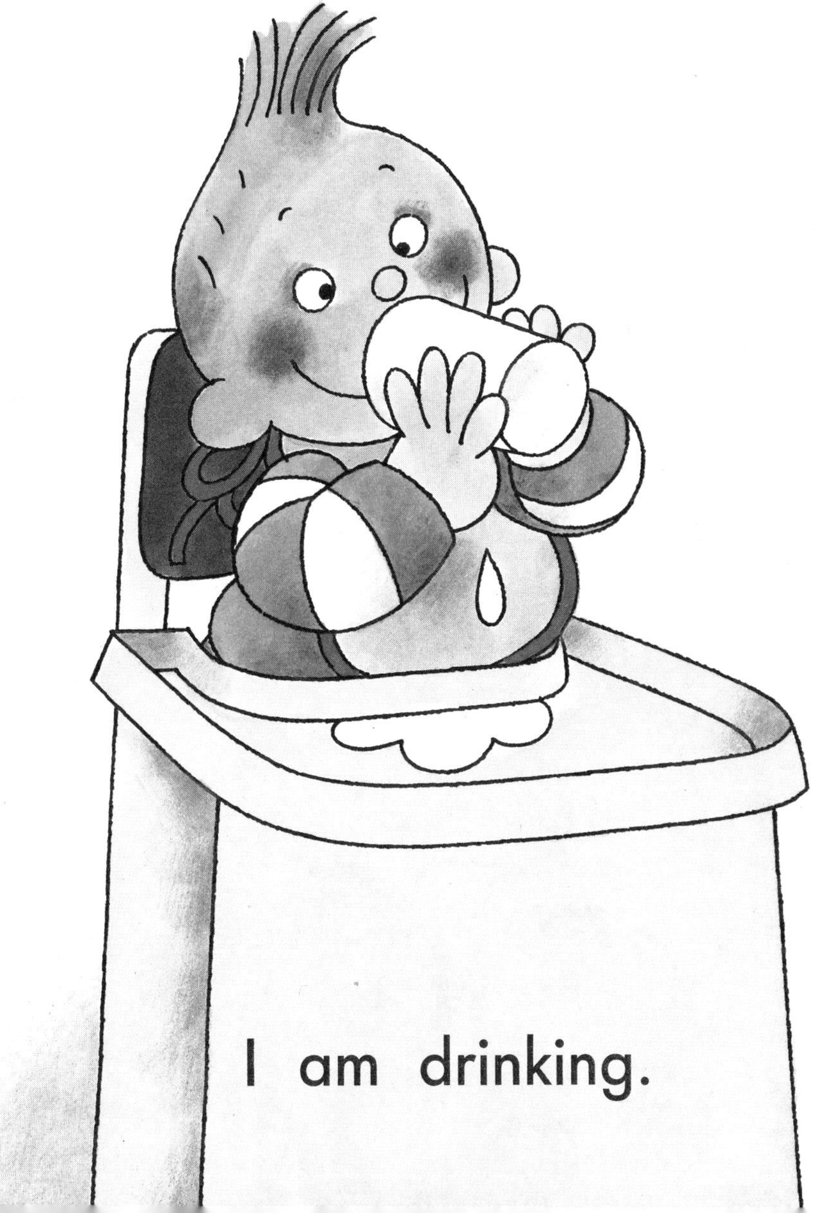

I am drinking.

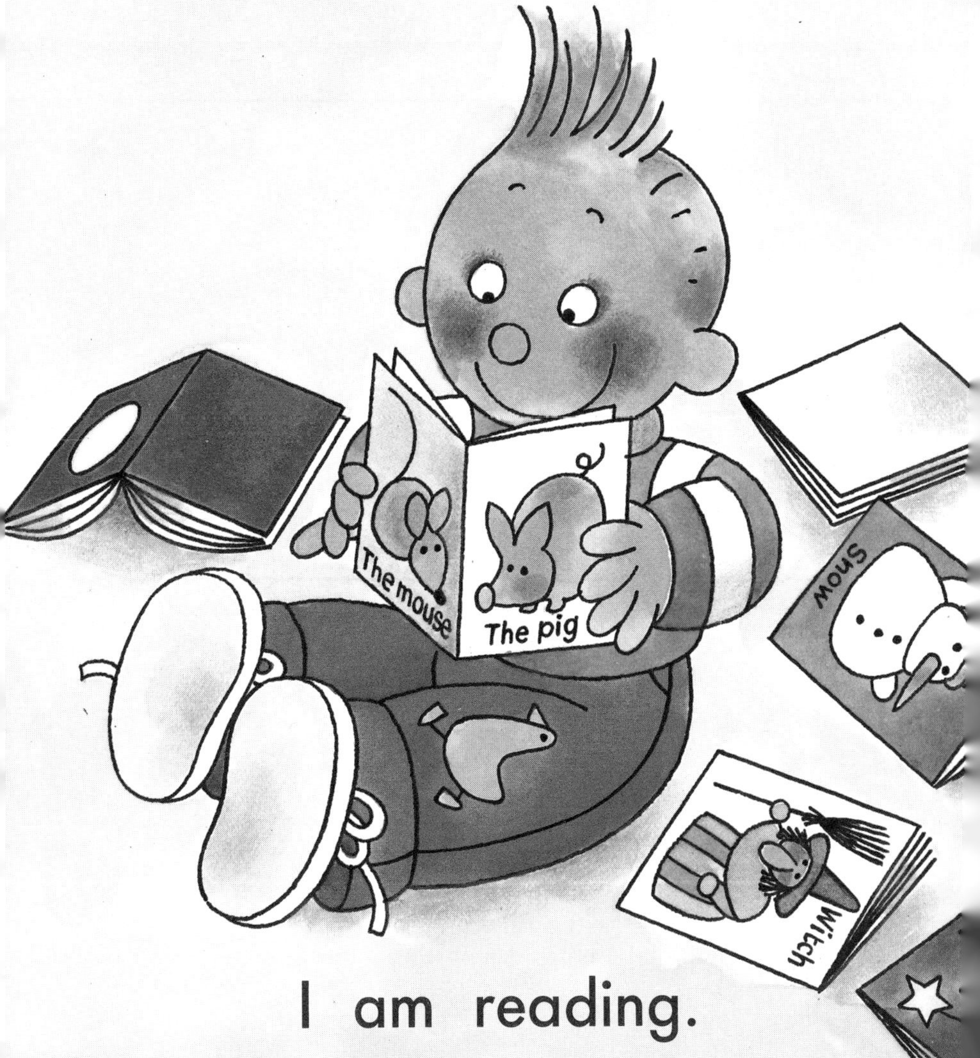

I am reading.

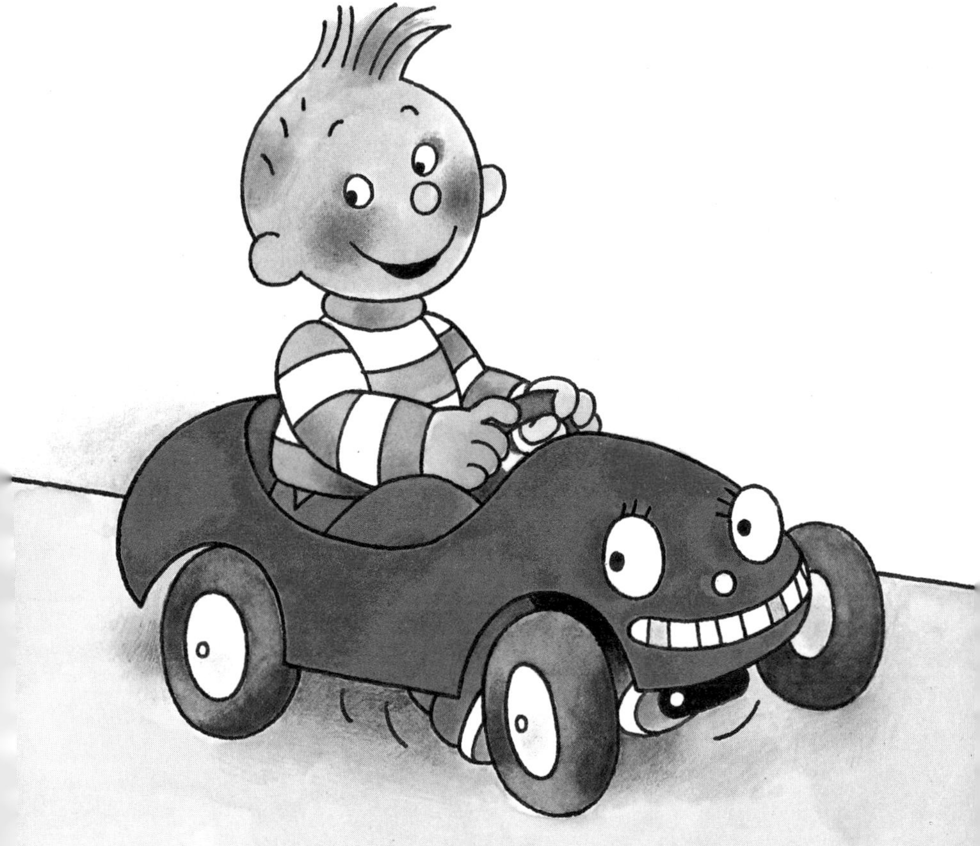

I am driving.

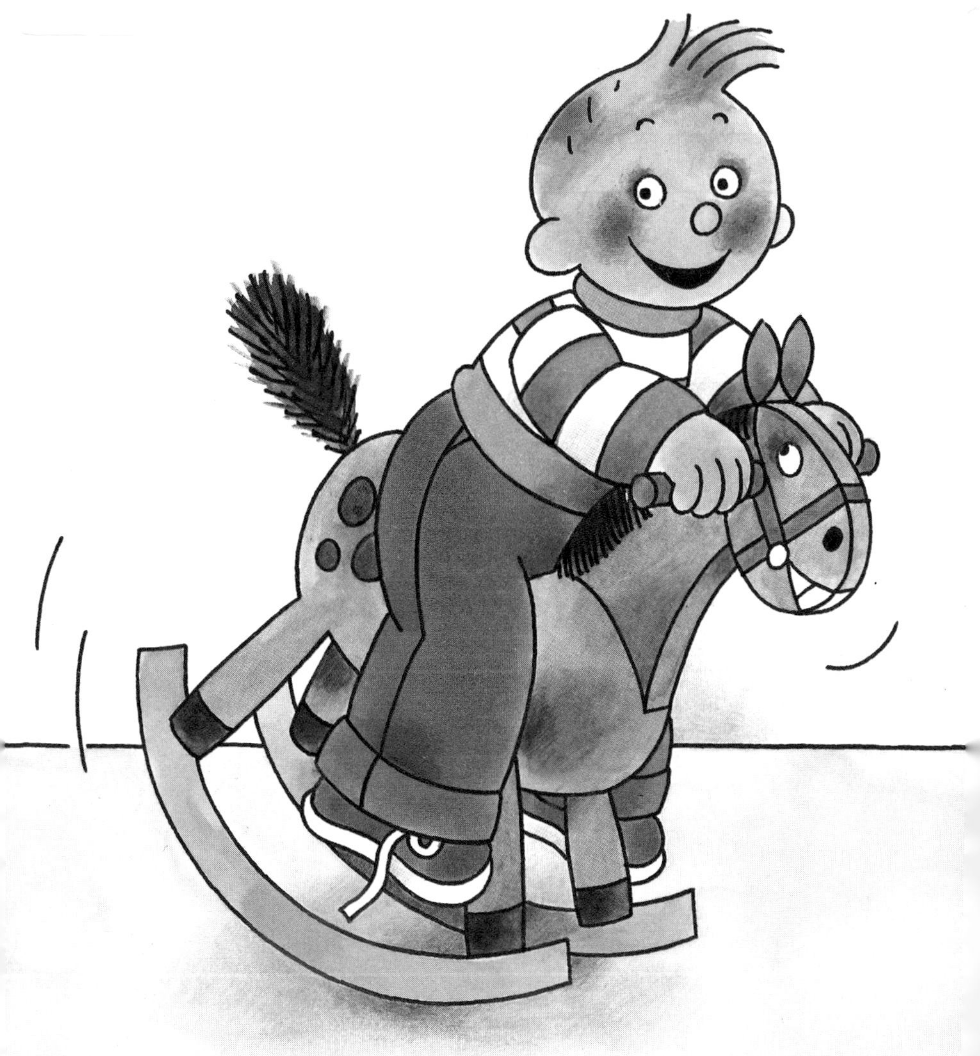

I am riding.

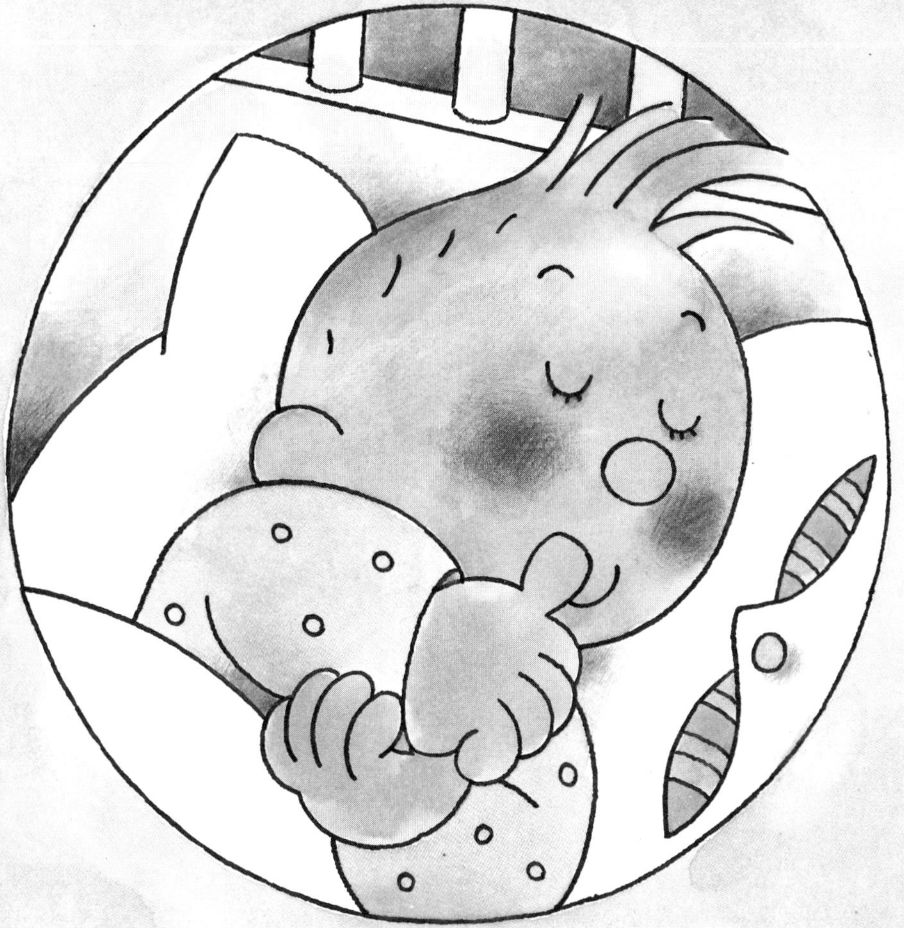

I am sleeping . . .

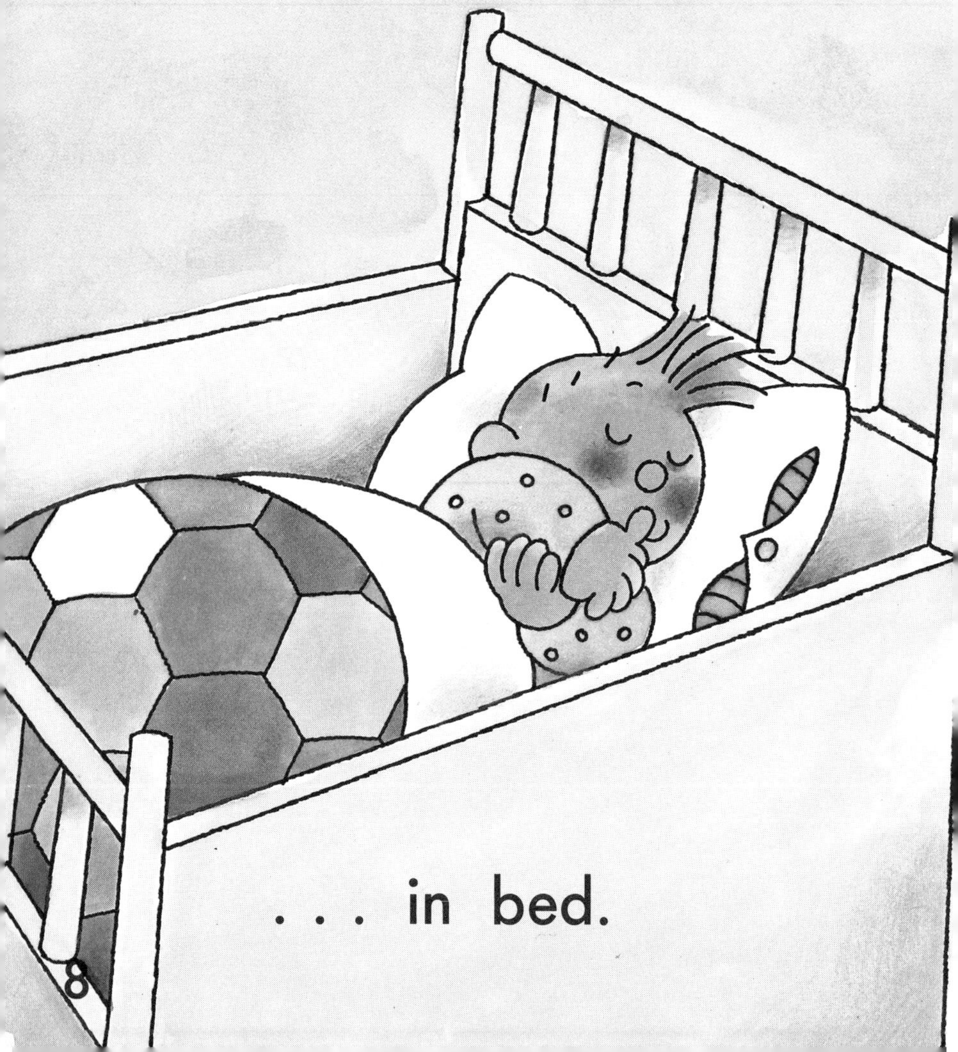

. . . in bed.